아서 스타터 워크북 12

아서의 학교 가는 날

글·그림 마크 브라운

등장인물

D.W.

메리 무 카우를 좋아하는 아서의 여동생. 아서를 괴롭히는 게 취미이다.

빙키

거친 외모와 달리 의외로 섬세한 성격을 지닌 아서의 친구.

머피

패션 감각이 뛰어난 아서의 친구. 분홍색을 가장 좋아한다.

버스터

아서의 가장 친한 친구. 탐정 놀이와 외계인을 좋아하는 특이한 성격의 소유자.

랫번 선생님

아서의 담임 선생님. 항상 많은 숙제로 아서와 친구들에게 고민을 안겨 준다.

Contents

BIONIC BUNNY
ALIENS

“일어나, 아서 오빠.” D.W.가 말했습니다. “학교 갈 시간이야.”
아서가 신음했습니다.
“**아서, 너 지각하겠다**!” 그의 엄마가 아래층에서
소리쳤습니다.
“왈! 왈!” 팔이 짖었습니다. 아서는 침대에서 구르듯 나왔습니다.

아서는 크게 기지개를 켰습니다. D.W.도 마찬가지로, 기지개를 켰습니다.

아서가 씻기 위해 화장실에 들어갔습니다. D.W.가 그를 따라갔습니다.

아서가 서둘러 그의 시리얼을 먹었습니다. D.W.도 그렇게 했습니다.

“날 그만 따라 해!” 아서가 말했습니다.

“나는 내년을 대비해서 연습하고 있어.” D.W.가 해명했습니다. “내가 학교에 갈 때 말이야.”

“그건 멍청한 짓이야.” 아서가 말했습니다.

“그렇지 않아.” D.W.가 주장했습니다.

“오, 그래?” 아서가 말했습니다. “그럼, 너 이걸 따라 할 수 있니?”

그는 자신의 책가방을 잡았고 문밖으로 급히 뛰쳐나갔습니다.

브레인은 그를 괴롭히는 여동생이 없었습니다. 하지만 그에게는 다른 문제가 있었습니다. “도마뱀아, 이리 와!” 그가 불렀습니다. “도마뱀아, 도마뱀아, 이리 와. . .”

SCIENCE
SCIENCE
MATH
CHEMISTRY

STOP

빙키는 어린 여동생이나 잃어버린 반려동물에 대해서 걱정하지 않았습니다.

그는 강하게 보이는 것에 대해 걱정했습니다.

“나에게는 지켜야 할 명성이 있어.” 그는 생각했습니다.

1ST
PRIZE
ELIZA
GO
LAKEWOOD!
1ST

프랜신도 역시, 고민이 있었습니다.

“나는 쉬는 시간을 위해 준비가 되어야 해.” 그녀가 말했습니다.

“무엇이 필요하게 될지 절대 알 수 없어.”

머피는 그렇게 먼 일을 내다보고 있지 않았습니다.

“무슨 옷을 입지?” 그녀는 혼잣말을 하며 물었습니다.

“아마 분홍색 옷이 좋을 거야. 나는 분홍색 옷을 입으면 정말 귀여워 보이니까.”

버스터에게는 아무런 문제가 없었습니다. 하지만 그의 어머니에게는 있었죠.

“버스터!” 그녀가 소리쳤습니다. “일어나!”

USA
BIONIC BUNNY

아서는 교실에서 그의 친구들을 만났습니다.

“나는 오늘 랫번 선생님께서 어떤 수업을 하려고 하시는지 궁금해.” 브레인이 말했습니다.

“어쩌면 현장 학습일 거야.” 빙키가 말했습니다.

“체육 현장 학습 말이지.” 프랜신이 덧붙였습니다.

“오, 안 돼!” 머피가 말했습니다. “내 옷은 그 활동에 전혀 어울리지 않아.”

“낮잠 시간은 어떻게 된 거야?” 버스터가 물었습니다.

아서가 어깨를 으쓱거렸습니다. “나는 그게 무엇이든 상관 없어.” 그가 말했습니다.

“D.W.에게서 멀어질 수만 있다면.”

종이 울렸습니다. “숙제를 제출하렴, 얘들아!” 랫번 선생님이 말했습니다.

갑자기, 아서는 무언가를 떠올렸습니다.

그의 숙제는 부엌 탁자 위에 놓여 있었습니다.

랫번 선생님이 그의 목을 가다듬었습니다. *나는 망했어*. 아서는 생각했습니다.

6 x 6 =
3 x 9 =
5 x 3 =

FISH
SOLAR SYSTEM

그때 그는 문을 두드리는 소리를 들었습니다. D.W.가 아빠와 함께 거기에 서 있었습니다.

“숙제 배달이요!” 그녀가 알렸습니다.

아서는 서둘러 그녀에게 갔습니다. “나는 여전히 연습하고 있어.” 그녀가 속삭였습니다.

“고마워.” 그가 속삭이며 답했습니다.

아서는 인정해야만 했습니다. 가끔씩 여동생들은 큰 골칫덩어리이기도 하지만,
가끔씩 그들은 또한, 큰 도움이 되기도 한다는 사실을요.

Activities

영어 원서를 총 세 개의 파트로 나누어,
각 파트별로 다양한 액티비티를 담았습니다.

각 파트의 영어 원서 페이지는 롱테일북스에서 출간된
'롱테일 에디션'을 기준으로 합니다!

Vocabulary Part 1

일어나다, 깨다

wake up

(끙 하는) 신음 소리를 내다

groan

아래층; 아래층에서

downstairs

짖다

bark

굴러 떨어지다

tumble

기지개, 스트레칭; 뻗다

stretch

화장실, 욕실

bathroom

따라가다

follow

시리얼

cereal

따라 하다, 복사하다

copy

연습하다; 연습

practice

어리석은, 바보 같은

silly

주장하다, 우기다

insist

붙잡다, 움켜잡다
(과거형 grabbed)

grab

책가방

backpack

급히 움직이다, 서두르다

rush

괴롭히다, 귀찮게 굴다

bother

도마뱀

lizard

Word Review Part 1

A 알파벳을 바르게 배열하여 그림에 맞게 단어를 완성해 보세요.

1

k r b a

b

2

a b g r

3

h u r s

B 알파벳을 바르게 써넣어 그림에 알맞은 단어를 완성해 보세요.

1

t u m e

2

o her

3

re ch

C 그림을 보고 알맞은 단어를 퍼즐에서 찾은 뒤, 빈칸에 단어를 써 보세요.

h	o	l	q	o	a	y	l
o	w	a	s	e	t	w	i
f	g	d	i	l	c	g	z
u	r	w	z	a	e	i	a
c	o	p	y	w	r	o	r
s	a	u	c	x	e	s	d
d	n	b	v	g	a	d	k
m	k	j	s	i	l	l	y

1

cereal

2

3

4

5

Wrap Up! Part 1

A 이야기의 순서에 맞게 번호를 적어 보세요.

The Brain had a problem with his lizard.

Arthur asked D.W. to stop copying him.

D.W. followed Arthur's every move.

1

Arthur tumbled out of bed.

B 각 단어에 알맞은 그림을 찾고, 이를 설명하는 문장을 찾아 바르게 이어 보세요.

bark

D.W. stretched after Arthur.

stretch

Pal barked on Arthur's bed.

cereal

Arthur wore his backpack.

backpack

Arthur hurried to eat his cereal.

C 다음 그림을 보고 아래의 단어를 알맞게 넣어 문장을 완성해 보세요.

bathroom followed stretch

1. Arthur took a big ______________ with D.W.

2. D.W. ______________ Arthur into the bathroom.

3. Arthur and D.W. washed up in the ______________ .

D 책의 내용과 일치하면 TRUE에, 그렇지 않으면 FALSE에 동그라미를 그려 보세요.

1. Arthur woke D.W. up. TRUE FALSE
2. Arthur thought that D.W.'s idea was silly. TRUE FALSE
3. Arthur rushed out the door to go to school. TRUE FALSE
4. The Brain had a problem with his sister. TRUE FALSE

E 다음 질문에 대한 알맞은 답을 골라 보세요.

Why did D.W. copy Arthur?

a. She wanted to bother him.

b. Her mother asked her to do so.

c. She was practicing for her school year.

Let's Write! Part 1

A 우리말에 맞게 알맞은 짝을 찾아 바르게 연결하고 완성된 문장을 두 번씩 써 보세요.

1 His mother shouted	a big stretch.
2 Arthur took	his backpack.
3 Arthur ate his cereal	in a hurry.
4 He grabbed	from downstairs.

1 그의 엄마가 아래층에서 소리쳤습니다.

His mother shouted from downstairs.

2 아서는 크게 기지개를 켰습니다.

3 아서가 서둘러 그의 시리얼을 먹었습니다.

4 그는 자신의 책가방을 잡았습니다.

Vocabulary Part 2

걱정하다 (과거분사형 worried)

worry

잃어버린

lost

반려동물

pet

강인한, 힘든

tough

명성, 평판

reputation

문제, 곤란

trouble

쉬는 시간, 휴식 시간

recess

절대 ~ 않다

never

필요하다

need

입다

wear

분홍색의; 분홍색

pink

귀여운, 사랑스러운

cute

만나다 (과거형 met)

meet

교실, 반

class

궁금해하다

wonder

계획하다; 계획

plan

현장 학습, 견학

field trip

스포츠, 운동

sports

Word Review Part 2

A 알파벳을 이어서 알맞은 그림과 연결하고, 빈칸에 완성된 단어를 써 보세요.

l

p s

e a

n s n

o g

v

t h

u

e

c a r

l

plan

B 그림을 보고 같은 색깔의 알파벳을 바르게 배열하여 빈칸에 써 보세요.

y r w

e r o a

s r c e r w

e s t u p i

c e k n

1

worry

2

3

4

5

A 이야기의 순서에 맞게 번호를 적어 보세요.

Francine wanted
to be ready for recess.

Binky thought that he had to
keep up his reputation.

Muffy worried about
what to wear.

Arthur's friends wondered
about the day's plan.

B 두 개의 문장 중 오른쪽에 있는 그림을 바르게 설명하는 문장을 골라 보세요.

1
ⓐ Binky was worried about lost pets.
ⓑ Binky was worried about looking tough.

2
ⓐ Francine was well prepared for a field trip.
ⓑ Francine was well prepared for recess.

3
ⓐ Muffy decided to wear black pants.
ⓑ Muffy decided to wear something pink.

4
ⓐ Buster didn't have any problems at all.
ⓑ Buster had a problem with planning ahead.

C 다음 그림을 보고 아래의 단어를 알맞게 넣어 문장을 완성해 보세요.

reputation worried tough

1 Binky was only ______________ about himself.

2 Binky wanted to look ______________ .

3 Binky thought that he had a ______________ in school.

D 책의 내용과 일치하면 TRUE에, 그렇지 않으면 FALSE에 동그라미를 그려 보세요.

1. Binky had a tough sister. TRUE FALSE
2. Francine was ready for any activities at recess. TRUE FALSE
3. Buster's mother shouted to wake Buster up. TRUE FALSE
4. Mr. Ratburn planned a field trip for the day. TRUE FALSE

E 다음 질문에 대한 알맞은 답을 골라 보세요.

What was Muffy worried about?

a. Her toys
b. Her outfit
c. Her little sister

Let's Write! Part 2

A 오늘 공부한 문장을 따라 써 보세요.

1 나에게는 지켜야 할 명성이 있어.

I do have my reputation to keep up.

2 프랜신도 역시, 고민이 있었습니다.

Francine had troubles, too.

3 나는 쉬는 시간을 위해 준비가 되어야 해.

I have to be ready for recess.

4 나는 분홍색 옷을 입으면 정말 귀여워 보이니까.

I look so cute in pink.

5 버스터에게는 아무런 문제가 없었습니다.

Buster didn't have any problems at all.

6 아서는 교실에서 그의 친구들을 만났습니다.

Arthur met his friends in class.

Vocabulary Part 3

옷, 복장, 의상

outfit

낮잠

nap

(어깨를) 으쓱하다
(과거형 shrugged)

shrug

멀리, 떨어져서

away

종

bell

제출하다

hand in

숙제

homework

갑자기

suddenly

기억하다

remember

부엌

kitchen

탁자

table

목, 목구멍

throat

망한, 실패한

doomed

문 두드리는 소리; 부딪치다

knock

배달, 전달

delivery

속삭이다, 소곤거리다

whisper

인정하다

admit

골칫거리, 고통

pain

Word Review Part 3

A 그림을 보고 알파벳 속에서 맞는 단어를 찾아 빈칸에 써 보세요.

ugjbelletshrugrhckitchenacvuadeliverylrtchomeworkgdwhisperur

1

bell

2

3

4

5

6

B 그림을 보고 알맞은 단어를 퍼즐에 넣어 완성한 뒤, 빈칸에 단어를 써 보세요.

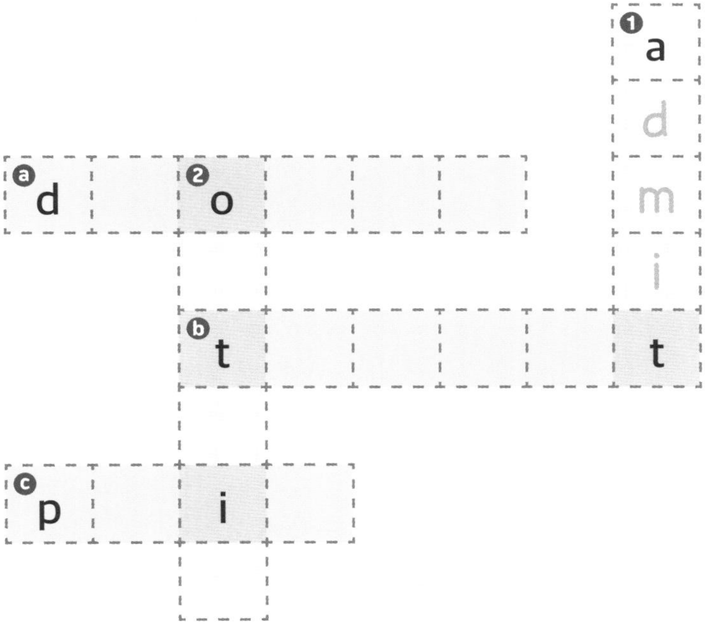

1

admit

2

a

b

c

A 이야기의 순서에 맞게 번호를 적어 보세요.

Arthur thought
that he was doomed.

D.W. was a big help
to Arthur sometimes.

D.W. brought
Arthur's homework to his class.

Arthur didn't care
about Mr. Ratburn's plan.

B 그림의 각 부분을 올바르게 설명하는 문장을 찾아 빈칸에 맞는 기호를 넣어 보세요.

ⓐ Mr. Ratburn cleared his throat.

ⓑ The other kids handed in their homework.

ⓒ Arthur did not have his homework.

ⓓ Arthur's homework was still on the kitchen table.

C 다음 그림을 보고 아래의 단어를 알맞게 넣어 문장을 완성해 보세요.

delivered knock whispered

1. There was a ______________ at the door.

2. D.W. ______________ Arthur's homework to his class.

3. D.W. ______________ that she was still practicing.

D 책의 내용과 일치하면 TRUE에, 그렇지 않으면 FALSE에 동그라미를 그려 보세요.

1. Muffy's outfit was wrong for a sports field trip. TRUE FALSE
2. Arthur didn't want to be away from D.W. TRUE FALSE
3. Arthur's homework was left on his bed. TRUE FALSE
4. D.W. came to Arthur's class by herself. TRUE FALSE

E 다음 질문에 대한 알맞은 답을 골라 보세요.

What did Arthur NOT think about little sisters?

a. They were cute.

b. They bothered him.

c. They could be helpful.

Let's Write! Part 3

A 우리말에 맞게 네모 안에 있는 말을 바르게 배열해 보세요.

1 내 옷은 그 활동에 전혀 어울리지 않아.

all wrong 전혀 어울리지 않는	for that 그 활동에	My outfit's 내 옷은 ~이다

My outfit's all wrong ______________ .

2 나는 그게 무엇이든 상관 없어.

I 나는	what it is 그게 무엇이든	don't care 상관 없다

______________ .

3 랫번 선생님이 그의 목을 가다듬었습니다.

Mr. Ratburn 랫번 선생님이	his throat 그의 목을	cleared 가다듬었다

______________ .

4 그는 문을 두드리는 소리를 들었습니다.

at the door	heard	He	a knock
문에서 나는	들었다	그는	두드리는 소리를

____.

5 아서는 서둘러 그녀에게 갔습니다.

rushed up	to her	Arthur
서둘러 갔다	그녀에게	아서는

____.

6 가끔씩 그들은 또한, 큰 도움이 되기도 한다는 사실을요.

too	a big help,	Sometimes	they were
또한	큰 도움	가끔씩	그들은 ~이 되었다

____.

Answers

Part 1

Word Review

A

1 

k r b a

bark

2 

a b g r

grab

3 

h u r s

rush

B

1 

tumble

2 

bother

3 

stretch

C

h	o	l	q	o	a	y	l
o	w	a	s	e	t	w	i
f	g	d	i	l	c	g	z
u	r	w	z	a	e	i	a
c	o	p	y	w	r	o	r
s	a	u	c	x	e	s	d
d	n	b	v	g	a	d	k
m	k	j	s	i	l	l	y

1 

cereal

2 

lizard

3 

silly

4 

copy

5 

groan

Wrap Up!

A

4 The Brain had a problem with his lizard.

3 Arthur asked D.W. to stop copying him.

2 D.W. followed Arthur's every move.

1 Arthur tumbled out of bed.

B

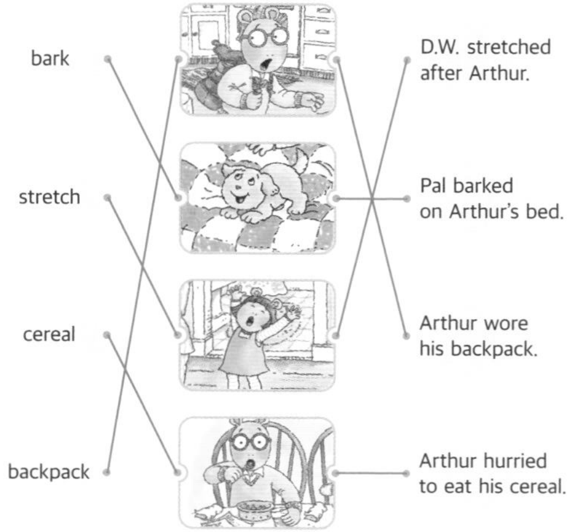

C

1 Arthur took a big stretch with D.W.

2 D.W. followed Arthur into the bathroom.

3 Arthur and D.W. washed up in the bathroom .

D 1 FALSE 2 TRUE 3 TRUE 4 FALSE

E c

Let's Write!

A

1	His mother shouted	from downstairs.
2	Arthur took	a big stretch.
3	Arthur ate his cereal	in a hurry.
4	He grabbed	his backpack.

Part 2

Word Review

A

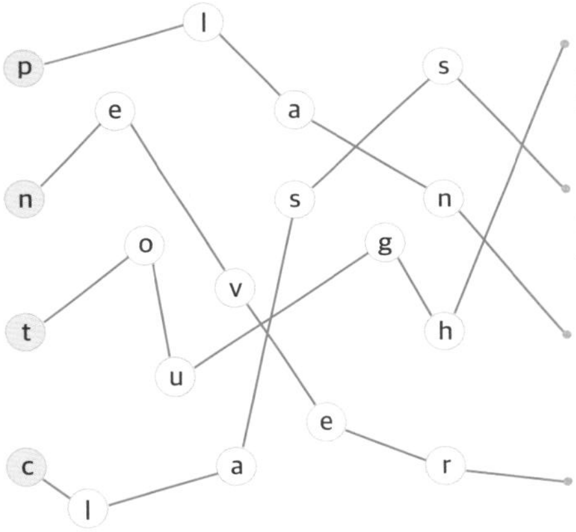

tough

class

plan

never

B

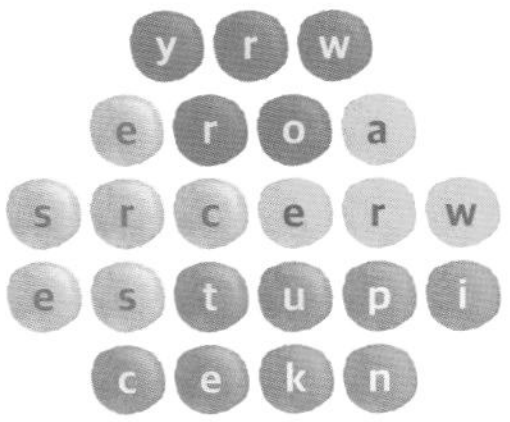

1 

worry

2 

wear

3 

pink

4 

cute

5 

recess

Wrap Up!

A

2

Francine wanted to be ready for recess.

1

Binky thought that he had to keep up his reputation.

3

Muffy worried about what to wear.

4

Arthur's friends wondered about the day's plan.

B 1 b 2 b 3 b 4 a

C

1 Binky was only worried about himself.

2 Binky wanted to look tough.

3 Binky thought that he had a reputation in school.

D 1 FALSE 2 TRUE 3 TRUE 4 FALSE

E b

Part 3

Word Review

A

ugjbelletshrugrhckitchenacvuadeliverylrtchomeworkgdwhisperur

1

bell

2

shrug

3

homework

4

delivery

5

kitchen

6

whisper

B

							(1) a
							d
(a) d	o	(2) o	m	e	d		m
		u					i
		(b) t	h	r	o	a	t
		f					
(c) p	a	i	n				
		t					

1

admit

2

outfit

a

doomed

b

throat

c

pain

Wrap Up!

A

Arthur thought
that he was doomed.

D.W. was a big help
to Arthur sometimes.

D.W. brought
Arthur's homework to his class.

Arthur didn't care
about Mr. Ratburn's plan.

B

C

1. There was a knock at the door.
2. D.W. delivered Arthur's homework to his class.
3. D.W. whispered that she was still practicing.

D 1 TRUE 2 FALSE 3 FALSE 4 FALSE

E a

Let's Write!

A

1. My outfit's all wrong for that.
2. I don't care what it is.
3. Mr. Ratburn cleared his throat.
4. He heard a knock at the door.
5. Arthur rushed up to her.
6. Sometimes they were a big help, too.

More Arthur Stories to Read!

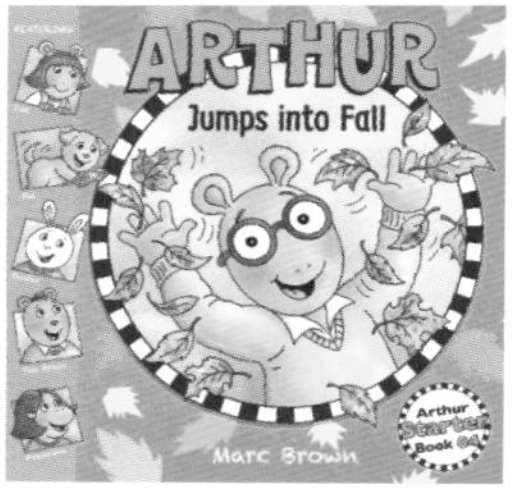

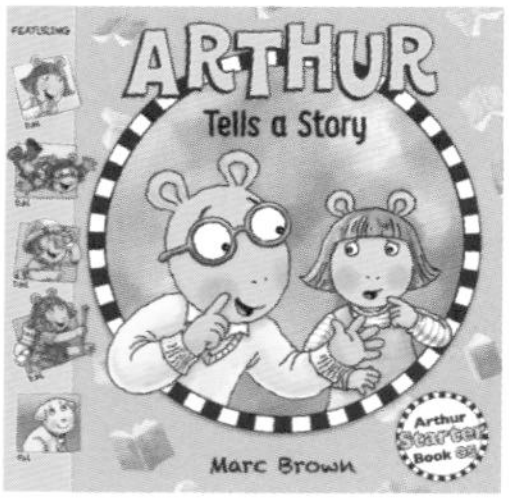

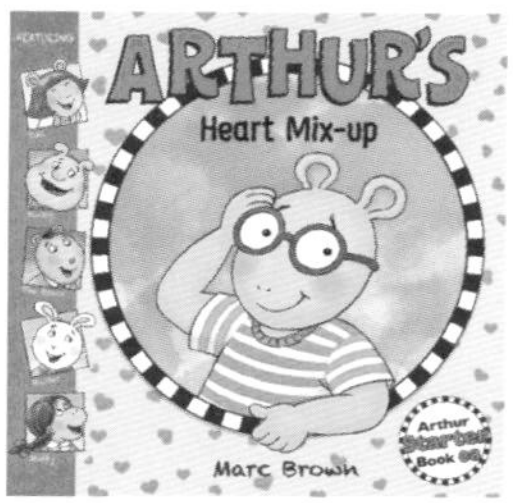

01 Arthur and the Big Snow
02 Arthur and the Dog Show
03 Arthur Helps Out
04 Arthur Jumps into Fall
05 Arthur Tells a Story
06 Arthur to the Rescue
07 Arthur's Birthday Surprise
08 Arthur's Heart Mix-Up
09 Arthur's Homework
10 Arthur's Jelly Beans
11 Arthur's Mystery Babysitter
12 Arthur's Off to School
13 Arthur's Tree House

재미있는 내용을 쉬운 문장과 간결한 표현으로 풀어 낸 기초 원서,
『아서 스타터(Arthur Starter)』 시리즈

아이들의 눈높이에 맞춘 유쾌한 이야기!
실생활에 바로 적용할 수 있는 영어 표현!

ARTHUR'S OFF TO SCHOOL

아서의 학교 가는 날

초판 발행	2022년 1월 3일
글·그림	마크 브라운
번역및콘텐츠감수	유아름 정소이
콘텐츠제작참여	기나현 선생님(경기 고양 일산중) 김수정 선생님(경기 부천 계남초) 이재영 선생님(서울 영등포 영림초) 임소연 선생님(경기 동두천 생연초)
영문감수	Julie Tofflemire
책임편집	유아름 정소이 김보경
디자인	모희정 이강효
저작권	김보경
마케팅	김보미 정경훈
기획	김승규
펴낸이	이수영
펴낸곳	롱테일북스
출판등록	제2015-000191호
주소	04033 서울특별시 마포구 양화로 113(서교동) 3층
전자메일	helper@longtailbooks.co.kr
ISBN	979-11-91343-36-6 14740